Solamh
an Crogall

Dha Cailean x

A' chiad fhoillseachadh sa Bheurla le Leabhraichean Chloinne Macmillan,
earrann de Fhoillsichearan Macmillan Earranta
20 New Wharf Road, Lunnainn N1 9RR Basingstoke agus Oxford
Caidreabh chompanaidhean air feadh an t-saoghail
www.panmacmillan.com

A' chiad fhoillseachadh sa Ghàidhlig 2013
Acair Earranta, 7 Sràid Sheumais, Steòrnabhagh, Eilean Leòdhais HS1 2QN
info@acairbooks.com
www.acairbooks.com

An tionndadh Gàidhlig Tormod Caimbeul
An dealbhachadh sa Ghàidhlig Mairead Anna NicLeòid

Tha Acair a' faighinn taic bho Bhòrd na Gàidhlig.

Fhuair Urras Leabhraichean na h-Alba taic airgid bho Bhòrd na Gàidhlig
le foillseachadh nan leabhraichean Gàidhlig *Bookbug*.

Gheibhear clàr catalog CIP airson an leabhair seo ann an Leabharlann Bhreatainn.

Clò-bhuailte ann an Sìona

LAGE/ISBN 978-0-86152-511-9

Catherine Rayner

Solamh an Crogall

A' Ghàidhlig le Tormod Caimbeul

acair

Tha fois is sìth air bruaichean
na h-aibhne, madainn ghrianach
chadalach. Ach an uair sin...

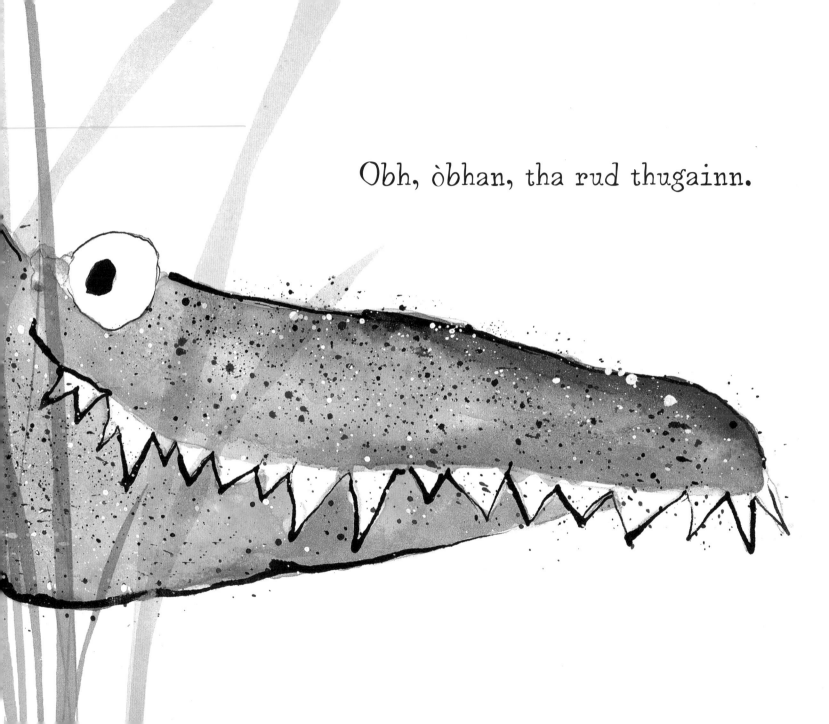

Obh, òbhan, tha rud thugainn.

Tha Solamh a' spludraigeadh
's a' splodraigeadh tron pholl,
's a' toirt air na losgainn leum.

Tha na losgainn a' crocadaich:
"Dèan às, a Sholaimh,
chan eil annad ach gràin."

Tha Solamh
a' crathadh nan cuilc
's a' dùsgadh nan
tarbh-nathrach.

Tha na tairbh le srann a' seinn:
"Dèan às, a Sholaimh,
chan eil annad ach buidheach."

Thèid Solamh a ruith nan corra-bhàn,
h-abair sgreuchail, h-abair spàirn!"

"Dèan às, a Sholaimh!
Na tig an taobh-sa,
chan eil annad ach
cùis-bhùirt!"

Ach an uair sin, bho oir a shùla,
nach fhaca Solamh an t-each-aibhne
bu mhotha a bh' anns an abhainn.

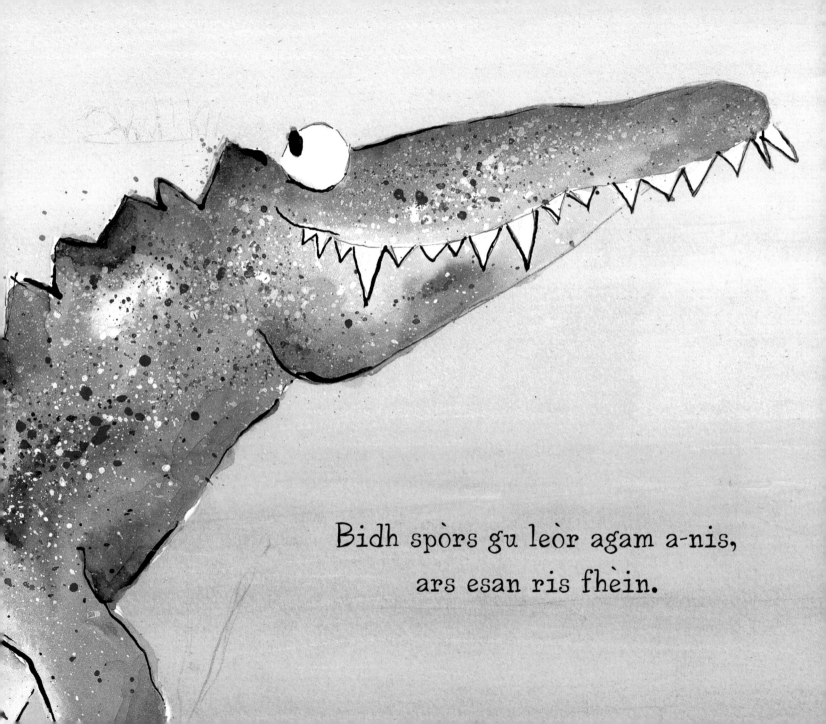

Bidh spòrs gu leòr agam a-nis,
ars esan ris fhèin.

’S a-mach leis na dheann!

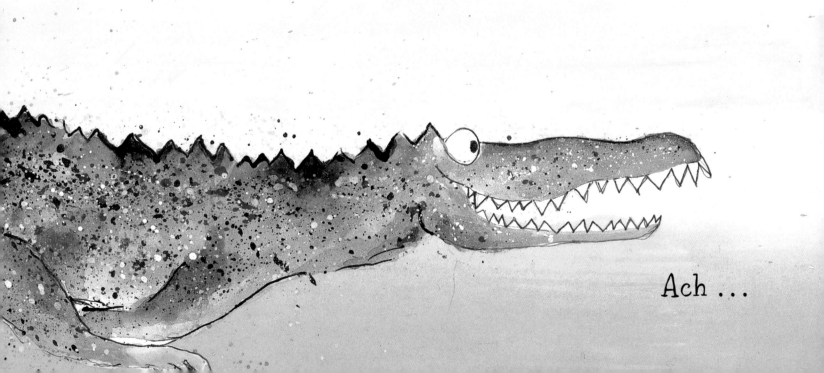

Ach ...

Le guth mar thàirneanaich dh'èigh an t-each-aibhne,
"A SHOLAIMH, CHAN EIL ANNAD ACH
CÙIS-EAGAIL, DÈAN ÀS!!"

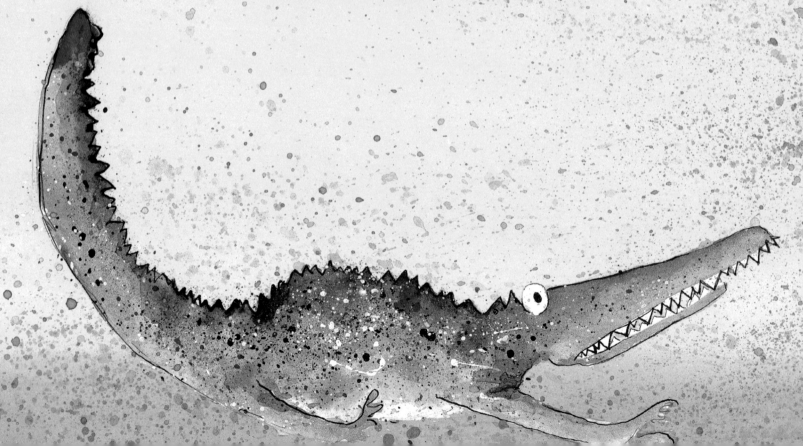

Solamh bochd.
Chan eil duine ag iarraidh
cluich leis.

Ach, an ceann greis, cluinnidh e fuaim.

Tha cuideigin a' toirt air na losgainn leum.

Tha cuideigin a' ruagadh nan tarbh-nathrach.

Agus the CUIDEIGIN a' cur nan corra-bhàn tuathal,
troimh-chèile...

's CHAN E Solamh.

Tha cuideigin a choreigin a' tighinn nas fhaisg...

's nas fhaisg...

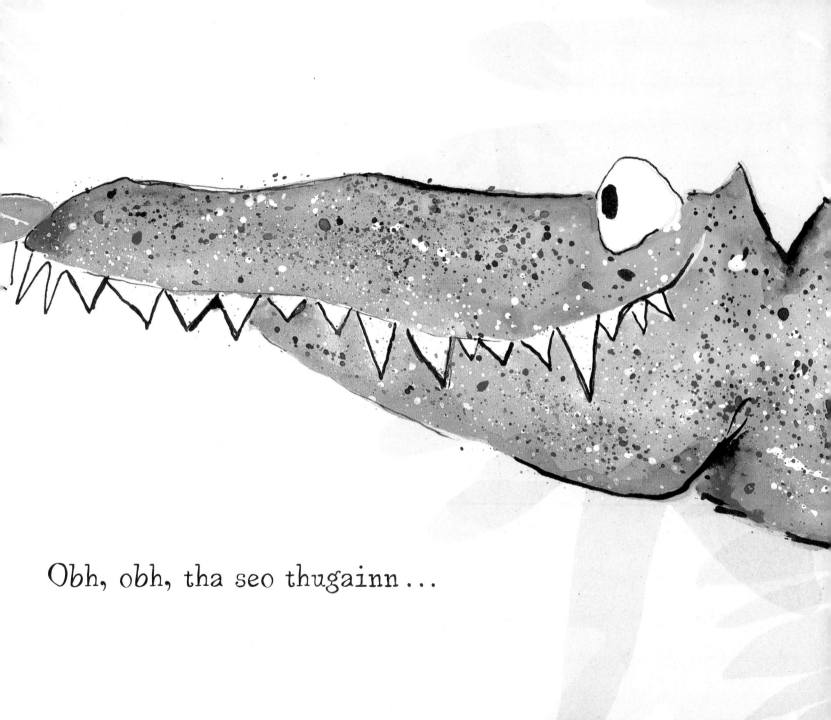

Obh, obh, tha seo thugainn...

Murt 's mo chreach

DÀ CHROGALL!